MR. GO(

a'r Ddr

Mr. Tickle and the Dragon

Roger Hargreaves

CW00841299

Cysyniad gwreiddiol gan
Original Concept by
Roger Hargreaves

Ysgrifennwyd a darluniwyd gan
Written and illustrated by
Adam Hargreaves

Addaswyd i'r Gymraeg gan
Adapted into Welsh by
Mererid Hopwood

Roedd Mr Goglais yn cael diwrnod arbennig o dda. Roedd e wedi goglais un ar hugain o bobl. Diwrnod da iawn yn wir.

Mr Tickle was having a very good day. Twenty one people well and truly tickled. A very good day indeed.

Ond pan gyrhaeddodd adref, ni allai gredu ei lygaid.

But when he arrived home, he could not believe his eyes.

"Alla i ddim credu fy llygaid," meddai wrtho'i hunan. "Mae rhywun wedi llosgi fy nhŷ!"

"I can't believe my eyes," he said to himself. "Somebody has burnt down my house!"

Roedd tŷ Mr Goglais wedi diflannu. Doedd dim ar ôl ond pentwr o lwch ar waelod yr ardd.

Mr Tickle's house was gone. All that was left was a smoking, charred pile at the end of his garden path.

Roedd mwy o fwg yn codi o waelod y llwybr.

There was more smoke rising from the end of the lane.

Aeth Mr Goglais ati i ymchwilio.

Mr Tickle set off to investigate.

Roedd y mwg yn dod o gar esgidiau Mr Doniol. Neu'n hytrach, o gyn-gar esgidiau Mr Doniol, achos doedd dim ar ôl erbyn hyn ond carrai wedi'i llosgi.

The smoke was coming from Mr Funny's shoe car. Or rather, it had been his car, but all that remained was a burnt shoelace.

Gallai Mr Goglais weld colofn arall o fwg yn y pellter.

Mr Tickle could see another spiral of smoke in the distance.

Y tro hwn, tŷ Mr Clyfar oedd yn llosgi, ac yn ôl yr olwg oedd arno, Mr Clyfar hefyd – bron iawn.

This time it was Mr Clever's house, and very nearly Mr Clever by the look of him!

"Des i allan mewn pryd," meddai Mr Clyfar. "Dim ond un dihiryn all fod yn euog. Mae'n rhaid mai . . ."

"I just got out in time," said Mr Clever. "There can only be one culprit. It must have been a . . ."

Ond arhosodd Mr Goglais ddim i glywed diwedd y frawddeg. Roedd e wedi gweld arwyddion tân arall ac roedd e'n benderfynol o ddilyn y trywydd.

But Mr Tickle did not wait to hear what it must have been. He had spotted the signs of another fire and was determined to follow the trail.

Roedd y trywydd yn hir, yn mynd o flwch ffôn ulw Mr Siaradus i feudy ulw Mr Ffermwr ac ymlaen drwy diroedd anial, yr holl ffordd i'r mynyddoedd. Dechreuodd nosi gyda hyn, ond daliodd Mr Goglais ati i ddringo a dringo.

It was a long trail which led from Mr Chatterbox's burnt out phone box to Farmer Field's burnt down barn, and on through wilder, bleaker land, up into the mountains. Soon it began to get dark, but Mr Tickle continued to climb higher and higher.

Roedd hi wedi tywyllu pan welodd olau llachar.
Yn y pellter roedd ogof, ac o'r ogof deuai golau coch.

Darkness had fallen when he saw a bright light.
In the distance, there was a cave emitting a red glow.

Yn sydyn, nid oedd Mr Goglais yn teimlo'n ddewr iawn. Yn sydyn, roedd e'n difaru na fyddai wedi aros i glywed diwedd brawddeg Mr Clyfar.

Suddenly Mr Tickle did not feel very brave. Suddenly he wished he had stayed to hear what Mr Clever had to say.

Penderfynodd Mr Goglais aros yn yr unfan tan y bore. Gwnaeth ei hunan yn belen fach a rhwymodd ei freichiau amdano dair gwaith a cheisio cadw'n gynnes o dan y llwyni.

Mr Tickle decided to wait there until the morning. He curled up under a bush and wrapped his arms around himself three times to keep warm.

Cysgodd Mr Goglais yn syndod o drwm ac roedd yr haul wedi hen godi pan ddaeth sŵn siffrwd yn y llwyni a'i ddeffro.

Mr Tickle fell into a surprisingly deep sleep and the sun was up when he was woken by the rustling of the bush.

Agorodd Mr Goglais un llygad.

Mr Tickle opened an eye.

Clywodd sŵn siffrwd eto.

The bush rustled again.

"Dwi'n gwybod dy fod ti yno," meddai llais dwfn iawn. **"Dere! Gad i fi dy weld di!"**

"I know you're in there," rumbled a very deep voice. "Come on! Show yourself!"

Yn ofalus iawn, cododd Mr Goglais ei ben o'r llwyni a safodd yn wincio ar yr haul mawr cryf. Doedd e ddim yn barod o gwbl am yr hyn a welodd o'i flaen.

Mr Tickle cautiously poked his head through the top of the bush and stood blinking in the bright sunlight. He was quite unprepared for the sight that met his eyes.

Roedd yn sefyll wyneb yn wyneb â draig!

He was standing face to face with a dragon!

A draig anferth hefyd.

A huge dragon at that.

Draig anferth gyda mwg yn cyrlio o'i ffroenau.

A huge dragon with smoke curling from his nostrils.

Collodd Mr Goglais ei wynt.

Mr Tickle gulped.

"Helô," meddai Mr Goglais, mewn llais bach pitw.

"Hello," said Mr Tickle, in a tiny voice.

"Fe gei di dri deg eiliad i roi rheswm da i mi pam na ddylwn i dy losgi di'n ulw," rhuodd y Ddraig, **"ac yna dwi'n mynd i dy losgi di'n ulw!"**

"I'm going to give you thirty seconds to give me a good reason why I shouldn't burn you to a crisp," bellowed the Dragon, "and then I'm going to burn you to a crisp!"

Collodd Mr Goglais ei wynt yr eilwaith.

Mr Tickle gulped for the second time.

Roedd yn rhaid i Mr Goglais feddwl yn gyflym. Sylweddolodd fod ei freichiau o'r golwg. Fel mellten, dyma saethu un o'i freichiau arbennig o hir drwy'r llwyni ac o dan fogel y ddraig.

Mr Tickle needed to think fast. He realised his arms were hidden. Quick as a flash he sent one of his extraordinarily long arms snaking through the bushes and under the Dragon's belly.

Symudodd Mr Goglais ei fysedd gan obeithio â'i holl galon fod dreigiau yn teimlo goglais.

Mr Tickle flexed his fingers and hoped beyond everything that dragons are ticklish.

Ar unwaith, rholiodd y ddraig yn belen o chwerthin ar y llawr.

The Dragon instantly crumbled into a giggling, laughing tangle on the ground.

"Ha! Ha! Ha!" rhuodd y ddraig.

"Ha! Ha! Ha!" roared the Dragon.

"Hi! Hi! Hi!" gwichiodd y ddraig.

"Hee! Hee! Hee!" wheezed the Dragon.

"Ho! Ho! Ho!" chwyrnodd y ddraig.

"Ho! Ho! Ho!" boomed the Dragon.

"Dyna ddigon! Digon!" gwaeddodd.

"Stop it! Stop it!" he cried.

"Fe wna i roi'r gorau iddi os gwnei di addo rhoi'r gorau i losgi pethau," meddai Mr Goglais.

"I'll stop tickling if you promise to stop burning things," said Mr Tickle.

"Unrhyw beth! Dwi'n addo! Unrhyw beth!" ymbiliodd y Ddraig.

"Anything! I'll promise anything!" pleaded the Dragon.

Rhoddodd Mr Goglais y gorau i'r goglais ac edrychodd i fyw llygad y Ddraig.

Mr Tickle stopped tickling and looked the Dragon squarely in the eye.

"Mae'n rhaid i ti ddysgu," meddai Mr Goglais, "sut i ddefnyddio dy dafod o dân i helpu pobl. Fe ddylet ti fod yn defnyddio dy sgiliau arbennig i wneud pobl yn hapus. Gad i fi ddangos i ti."

"What you need to learn," said Mr Tickle, "is to put your fire breathing to good use. You should be using your extraordinary skills to make people happy. I'll show you."

Gorweddodd y Ddraig ar y llawr a neidiodd Mr Goglais ar ei gefn. Yna ysgydwodd y Ddraig ei hadenydd mawr a dechrau hedfan, gan hofran fry uwchben y mynyddoedd a phlymio i'r dyffrynnoedd pell.

The Dragon lay down on the ground and Mr Tickle hopped on his back. Then the Dragon shook out his great wings and took off, circling high over the mountains and swooping down to the distant valleys.

Hedfanodd y ddau yn is ac yn is gan wibio heibio i fythynnod a beudái.

They flew lower and lower, passing over barns and cottages.

"'Drycha!" gwaeddodd Mr Goglais. "Dyna dŷ Miss Fach Arbennig. Mae gen i syniad am dy gymwynas gyntaf di."

"Look!" cried Mr Tickle. "It's Little Miss Splendid's house. I have an idea for your first good deed!"

Safodd Mr Goglais a'r Ddraig ar bwys pwll nofio Miss Fach Arbennig.

Mr Tickle and the Dragon stood beside Little Miss Splendid's swimming pool.

"Mae'n rhy oer i nofio ym mhwll nofio Miss Fach Arbennig heddiw," meddai Mr Goglais. "Wyt ti'n credu y galli di helpu?"

"It is too cold today to swim in Little Miss Splendid's pool," said Mr Tickle.
"Do you think you could do anything about that?"

Meddyliodd y Ddraig am eiliad.

The Dragon thought for a moment.

Yna, tynnodd anadl ddofn ac anadlu drwy ei ffroenau. Llyfodd y fflamau wyneb y dŵr. Ymhen dim, roedd y pwll yn stêm braf i gyd.

Then he took a deep breath and breathed out through his nostrils. Flames licked across the surface of the swimming pool. In no time at all the pool was steaming.

Roedd Miss Fach Arbennig wrth ei bodd. A dyma Mr Goglais,
y Ddraig a Miss Fach Arbennig yn nofio'n hapus iawn yn y dŵr.

*Little Miss Splendid was delighted. Mr Tickle, the Dragon and Little Miss Splendid had a
very enjoyable swim.*

A dweud y gwir, cafodd y Ddraig ddiwrnod hapus iawn.

In fact, the Dragon had a very enjoyable day.

Toddodd y rhew ar lwybr Mr Hergwd, ac roedd Mr Hergwd ar ben ei ddigon oherwydd roedd e'n llithro ar y llwybr fel arfer ac yn bwrw'i ben.

He melted the ice on Mr Bump's path, and Mr Bump couldn't have been happier, as most mornings he usually slipped up and bumped his head.

Cynhesodd de Mr Anghofus – roedd wedi anghofio amdano amser brecwast ac roedd wedi oeri. Roedd Mr Anghofus ar ben ei ddigon. Dyw e ddim fel arfer yn yfed te cynnes.

He warmed up Mr Forgetful's cup of tea which he had made at breakfast time and forgotten to drink. Mr Forgetful was delighted. He doesn't normally get to drink hot tea!

Ac roedd Mr Trachwantus ar ben ei ddigon pan goginiodd y Ddraig bymtheg selsigen ar yr un pryd.

And Mr Greedy was very impressed when the Dragon cooked fifteen sausages all at once.

Erbyn diwedd y dydd, roedd gwên fawr lydan ar wyneb y ddraig.

By the end of the day, the Dragon had a big glowing smile across his face.

"Wyddost ti beth?" rhuodd yn llawen.

"Do you know what?" he boomed, cheerfully.

"Rwy'n teimlo'n arbennig o dda!"

"I feel really good!"

Gwenodd Mr Goglais ac estyn un o'i freichiau arbennig o hir . . .

Mr Tickle grinned and then he reached out his extraordinarily long arms . . .

. . . a goglais y Ddraig!
. . . and tickled the Dragon!

"A nawr dwi'n teimlo'n arbennig o dda hefyd!" meddai gan chwerthin.
"And now I do too!" he laughed.